KB097269

만일 내가 특허사무소를 다시 입사하게 된다면

만일 내가 특허사무소를 다시 입사하게 된다면

발 행 | 2024년 03월 15일
저 자 | 김유림
펴낸이 | 한건희
펴낸곳 | 주식회사 부크크
출판사등록 | 2014.07.15(제2014-16호)
주 소 | 서울특별시 금천구 가산디지털1로 119 SK트윈타워 A동 305호
전 화 | 1670-8316
이메일 | info@bookk.co.kr

ISBN | 979-11-410-7631-3

만일 내가
특허사무소를 다시
입사하게 된다면

김유림 지음

CONTENT

프롤로그

처음 입사한 특허사무소는 개업을 한지 얼마 되지 않은 곳이라 특허업무가 거의 없었다. 그 당시 특허 관리자는 나 혼자였다. 특허 업무에는 전혀 관심이 없었고, 오로지 퇴근 시간만을 기다렸다.

변리사님이 사무실 복도를 지나가시면 네이버에 '나는 왜 이 일을 하는가.'라고 검색한 창을 닫고 작업표시줄에 미리 열어 둔 특허로 홈페이지를 보면서 열심히 업무를 하는 모습을 보였다.

같은 실수의 반복은 기본이었다. 개별위임장을 제출하지 않아서 4,000원의 보정료를 납부해야 할 때는 이 일이 나와 맞지 않는 것 같아서 주눅이 들었고 진심으로 그만두고 싶었다.

그런 내가 어떻게 3개월 인턴생활을 마무리하고 계약직이 되었으며 정규직까지 제안을 받게 되었을까.

나는 특허 관리자 6년 차이고 아직도 공부하고 배워나가야 할 업무들이 많다. 10년 넘게 근무하신 분들도 계심에도 불구하고 내가 책을 쓰게 된 이유는 나와 같은 사람들에게 도움을 주고 싶었기 때문이다.

특허사무소에서는 주로 어떤 일을 하며 어떻게 하면 특허 업무를 수월하게 처리할 수 있는지에 대한 물음표에 조심스럽게 답변을 해본다. 목차를 보고 필요한 부분만 읽어도 되지만 순차적으로 읽는 것을 권유 드린다.

2024 년 3 월 15 일

김유림 드림

아주 작은 습관이 만드는 변화

출근

저자 마쓰다 미쓰히로의 책 『청소력』의 본문 내용을 보면 어떤 심리학자의 연구에 의하면 '흐트러진 방, 청소가 되어 있지 않은 사무실 등에서 생활을 계속하면 생리학적인 면에서도 심박수나 혈압이 증가하고 심장이 두근거리며, 목이나 어깨가 무거워지고 이유가 없이 초초해지거나 금방 화를 내게 된다'고 한다. (본문 23쪽)

출근 후 해야 할 일로 청소를 선택한 이유는 깨끗해진 환경에서 업무를 하면 청소를 하지 않고 업무를 시작하는 것보다 훨씬 능률적으로 일처리가 가능하기 때문이다.

우리는 청소업체에 전문가는 아니기 때문에 전문적으로 깨끗하게 할 수는 없겠지만 기본적인 정리 정돈은 할 수 있어야 한다고 생각한다.

나의 경우 업무가 손에 잡히지 않거나 복잡한 생각이 들 때는 30분에서 1시간 정도 책상, 서랍 등을 정리하곤 한다.

주로 오전에 하는 경우가 많은데 그 이유는 오전은 대략적인 업무 흐름을 파악하고 본격적인 업무는 점심 이후 오후에 처리하기 때문이다.

열심히 청소를 하는 나의 모습에 '혹시.. 퇴사하세요?'라고 물어보는 직원분도 있었다.

▲ '청소력' 도서

깨끗해진 환경에서 업무를 하면 청소를 하지 않고
업무를 시작하는 것보다 훨씬 능률적으로 일처리가 가능하다.

책상 정리

너무 바빠서 청소할 시간이 없더라도 필수적으로 했으면 하는 것은 책상 정리다. 책상 위에 여러 서류들이 엉켜 있으면 업무를 놓치는 경우도 발생할 수 있고, 서류를 분실할 가능성이 높다.

책상 정리에 대해 이론적이게 설명하는 것보다 도움이 많이 된 책을 추천하려고 한다. 제목은 『나는 오늘 책상을 정리하기로 했다 (일이 편해지고 시간도 버는 88가지 정리 아이디어)』이다. 해당 책을 읽고 참 많은 도움이 되었다.

책상 정리법, 시간 사용법, 자료 정리법에서부터 생각 정리법, 소소한 스트레스 관리법까지 배울 수 있는 좋은 책이다.

지금 나의 책상은 어떤 상태인지 곰곰이 생각해 볼 필요가 있다. 바쁘다는 이유로 치약과 칫솔이 너저분하게 올려져 있거나, 어제 마신 커피가 담긴 컵을 정리를 하지 못하지는 않았는지 등이다.

『나는 오늘 책상을 정리하기로 했다 (일이 편해지고 시간도 버는 88가지 정리 아이디어)』의 저자는 책상을 조금만 정리해도 업무 시간이 몰라보게 달라진다고 조언했다.

효율적인 책상 정리, 쓰기 편한 수납, 효과적인 자료 관리는 업무 성과로도 이어질 수 있으니 책을 읽은 이 순간 서랍 한 칸부터 정리하는 시간을 가져 보는 것은 어떨까?

▲ '나는 오늘 책상을 정리하기로 했다' 도서

▲ '특허법인오킴스'에서 근무하던 시절 나의 책상 모습

▲ '티비즈특허법률사무소' 현재 책상 모습

효율적인 책상 정리, 쓰기 편한 수납,
효과적인 자료관리는 업무 성과로도 이어질 수 있다.

메모의 힘

지금까지 살아오면서 메모를 하지 않아 난감했던 적이 한두 번이 아니다. 특허사무소가 아니더라도 회사생활에서 메모는 기본이다. 입사를 하면 상사는 당신의 업무 스타일을 파악하기 위해서 다양한 질문을 한다.

가장 많이 들은 질문은 '왜 이렇게 처리한 거죠?'이다. 그럴 때마다 나는 대답을 뚜렷하고 분명하게 하지 못하고, 흐리멍덩하게 대충 얼버무린 것이 생각난다.

입사 초반에 상사는 당신의 일 처리 결과보다 해당 업무를 왜 그렇게 처리했는가?를 중요하게 생각한다.

나의 경우 업무를 보고하기 전에 해당 업무를 왜 이렇게 처리했는지에 대한 이유를 적어 놓는다. 상사분이 이전에 했던 말과 지금의 지시 사항이 다르기도 하고, 억울할 일이 없도록 하기 위함이다.

메모를 잘 해야 업무 전 중심을 잘 잡고 처리할 수 있다. 회사에서 일을 잘하는 사람들(=일잘러)을 관찰해보면 메모는 필수적으로 한다.

노트나 필구 도구를 준비하지 않고 업무에 대한 지시를 받았는데, 자리로 돌아오니 기억이 안 나서 여러 번 여쭤본 적이 있었다. 한 번은 그런 행동이 반복되니 변리사님께서 내게 메모를 하라고 말씀

하셨다.

그 뒤로 업무 지시를 받을 때마다 노트와 필기도구를 지참하여 집중해서 사소한 것까지도 메모를 했다. 이를테면, 고객에 대한 정보 등이다. '이 고객은 이러한 상황으로 인해 해당 사건에 대해 예민한 상황입니다.'와 같은 내용이다.

한 귀로 흘려들을 수 있는 내용이지만 잘 들어서 메모를 해야 한다. 참고로 메모를 할 때는 제목, 키워드, 날짜 등을 같이 기록하는 것이 찾기도 편하고 업무를 수월하게 처리할 수 있다.

개인적으로 스티븐 코비의 책 『성공하는 사람들의 7가지 습관』에서 나오는 시간관리 방법을 추천한다. 4분면으로 나누어 '긴급함, 긴급하지 않음, 중요함, 중요하지 않음'으로 업무를 정리할 수 있다.

네이버에 '4분면 시간관리' 등을 검색하면 무료로 다운로드 받을 수 있는 양식들과 참고할 만한 자료들이 나온다.

1사분면
(긴급하고 중요함)
 	
  - 위기
  - 급박한 문제
  - 기간이 정해진 프로젝트
	2사분면
	(긴급하지 않고 중요함)
	
	  - 자기계발
	  - 새로운 기회 발굴
	  - 중장기 계획

3사분면
(긴급하고 중요하지 않음)
 	
  - 작업의 흐름을 방해하는
    사소한 일
  - 전화
  - 타인을 위한 행동
	4사분면
	(긴급하지 않고 중요하지 않음)
	
	  - 하찮은 일
	  - 낭비거리

▲ '성공하는 사람들의 7가지 습관' 시간관리의 4분면

메모를 잘 해야 업무 전 중심을 잘 잡고 처리할 수 있다.

바탕화면 달력

나만 알고 싶은 프로그램 중 하나인데 많은 일정들을 관리할 때 도움을 주는 바탕화면 달력 DesktopCal이다.

이지팻(EASYPAT)으로 모든 일정들을 체크하지만, 개인적인 업무들은 기입하기 곤란할 때가 있다. 그럴 때 사용하는 프로그램인데 무료로 사용이 가능하다.

컴퓨터를 종료하고 시작을 할 때에도 바로 볼 수 있어서 편리하고, 개인적인 일정들을 한눈에 파악할 수 있다.

종이 달력에 하나하나 쓰고 수정하는 번거로움을 줄여주고 이지팻(EASYPAT)으로 기재하기 어려운 중요한 업무들을 놓치지 않고 처리를 할 수 있게 도와주는 프로그램이다.

환경설정을 통해 달력 글꼴 색과 캘린더 배경 색상 변경이 가능하니 참고바란다.

⇒ 이지팻(EASYPAT)은 지식재산권 사건정보와 사건의 흐름을 쉽게 파악할 수 있는 프로그램이다. 뒤에서 자세히 다루도록 하겠다.

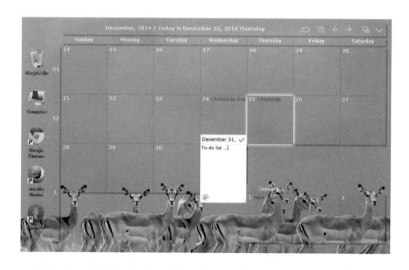

▲ DesktopCal 다운로드 링크

http://www.desktopcal.com

많은 일정들을 관리할 때 도움을 주는 프로그램 DesktopCal.

잘하는 일과 좋아하는 일 사이

특허사무소 업무

시작하기 앞서 준비가 다 되었다면 특허사무소에서는 어떤 업무들을 하는지 알아보자. 해당 목차에서는 큰 틀만 살펴보자.

① 이지팻 (EASYPAT)
② 견적서 및 청구서
③ 통장 관리
④ 서식작성기
⑤ 메일 작성

경력직으로 특허사무소를 이직할 때는 위의 5가지 업무만 할 수 있으면 취업은 어렵지 않게 할 수 있을 것이다. 실제로 '사람인'의 홈페이지를 보면 다음과 같다.

특허업무 관리 사무직(특허청 출원)

✓ **모집부문 및 상세내용**

담당 업무

- 특허청 제출용 문서 작성
- 출원 업무 전반 관리(업로드 등)

특허업무 관리 사무직(특허청 출원)   1명

지원자격

- 학력 : 고졸
- 경력 : 신입/경력 2년 이하

▲ '제일특허법인(유)' 특허 관리직 모집
(공고일 2024.01.16)

요즘은 경력이 없는 신입 관리자를 채용하는 곳이 많다. 그런 경우에는 면접 후 연봉이 결정되는데, 대체적으로 사무소에서 제안하는 연봉으로 정해지는 경우가 많다.

본인이 원하는 연봉을 제안하고 이를 협상해서 입사를 하기 위해서는 최소 1년 이상의 실무 경력을 요구한다.

거두절미하고 특허사무소의 5가지 업무에 대해서 살펴보자.

① 이지팻 (EASYPAT)

이지팻(EASYPAT)은 지식재산권 사건정보와 사건의 흐름을 쉽게 파악할 수 있는 프로그램이다.

규모가 있는 특허사무소의 경우에는 별도의 프로그램을 자체적으로 제작해서 사용하는 경우도 있지만, 대부분의 특허사무소는 이지팻(EASYPAT) 프로그램을 통해서 마감일을 관리한다.

② 견적서 및 청구서

특허사무소마다 수가표라는 것이 존재하는데, 그 비용을 견적하거나 청구하는 서류이다. 서류 양식은 엑셀을 사용하는 곳도 있지만 보통 한글이나 워드 파일로 많이 사용한다.

③ 통장 관리

규모가 작은 특허사무소는 입금 및 출금 내용이 별로 많지 않기 때문에 관리자가 세금계산서 발행 및 현금영수증 발행을 하는 경우가 있다.

④ 서식작성기

출원서 및 중간절차(의견서 등)와 등록과 심판절차 등에 필요한 서식을 작성하고 특허청에 제출할 수 있는 프로그램이다.

⑤ 메일 작성

특허출원 전 견적서를 보내거나 출원 후 완료보고를 보내는 등 클라이언트 측에 보고 메일을 보내게 되는데, 크게 어려운 것은 없고 앞에 수신인 성함만 기재를 잘해도 절반은 끝났다.

이렇게 간단하게 특허사무소에서 하는 업무 5가지를 알아보았는데, 대형 특허사무소에서는 5가지 업무를 한 명이 관리하지 않고 각각 담당자를 채용을 한다. 비용처리만 하는 직원, 메일을 작성해서 보고만 하는 직원 등이다.

한 가지 업무에 대해서 전문적이고 체계적으로 배울 수 있는 대형 사무소도 있지만 다시 내게 특허사무소를 입사할 수 있는 기회가 주어지더라도 업력이 오래되지 않은 곳을 지원할 것이다.

아무런 지식도 경험도 없는 상태에서 일단 들이대고 보는 맨땅에 헤딩이지만 결국에는 그 모든 경험이 피가 되고 살이 되었기 때문이다.

①이지팻 (EASYPAT) ②견적서 및 청구서
③통장 관리 ④서식작성기 ⑤메일 작성

특허 상담

'관리자가 왜 특허 상담을 해요?'라는 물음을 할지도 모르겠다. 나의 경우 사무소로 클라이언트 전화가 오면 바로 변리사님에게 돌리지 않고 상담을 한다. 상담이라고 해서 거창한 건 아니다.

그냥 단순하게 기본적인 수가표에 대한 비용 안내 혹은 특허절차 등을 안내해 드리면 된다. 혹시 그대는 '에이, 그건 너무나도 당연하고 쉬운데?'라고 생각을 하는가? 그렇다면 나는 진심으로 당신을 존경한다.

'특허'라는 단어조차 몰랐던 특린이 시절에는 사무실로 전화가 걸려 오면 무조건 변리사님에게 '돌려주기' 버튼을 눌렀다. 간혹 변리사님이 자리에 안 계시면 식은땀이 났던 게 생각이 난다. 연락처를 메모하고 전달해 드리면 되는데 그게 뭐가 그렇게 어려웠나 싶다.

상담은 2년 차 정도 되었을 때부터 들어갔던 것 같다. 당시 변리사님께서는 특별히 바쁜 일이 없는 경우는 상담할 때 같이 들어가자고 하셨다. 처음에는 나에게 무슨 질문을 할지 몰라서 속으로 벌벌 떨었던 기억이 있다.

대면 상담 시에는 발명신고서(클라이언트가 적는 발명에 대한 설명서) 및 수가표를 드리고 클라이언트가 필요로 하는 것을 준비해서 드린다.

상담을 하다가 막히는 부분이 있으면 정확하지 않은 답변을 하기보다 '해당 부분은 담당 변리사님께 여쭤보고 빠르게 답변을 드리겠습니다.'라고 전달한 후 변리사님에게 상담 내용을 보고드린다.

상표의 경우 자주 사용하는 상품류와 지정상품에 대해 알아 두면 좋다. 예를 들면 의류사업을 하시는 분들이 상표출원을 하는 경우가 많은데, 제35류의 지정상품 '의류 소매업', '의류 도매업'을 말씀드리면 별것 아닌 것 같지만, 전문성이 있는 것 같이 보인다.

▲ '분류코드조회(상품조회)' 화면

또한, 상표출원을 할 때 발생하는 특허청 관납료는 크게 2가지로 나뉜다. 마찬가지로 고시상품에 대한 관납료는 46,000원이 발생되고, 비고시 상품에 대한 관납료는 52,000원의 비용이 발생된다는 내용도 같이 안내해 드리면 좋다.

▲ '수수료정보안내' 화면

위의 내용을 살펴보고 응용해서 예상 질문을 만들어 답변을 찾다 보면 상담할 때 보다 수월할 것이다. 상담하는 것을 보고 싶다면, 변리사님들께 사전에 양해를 구하고 발명자와 상담을 할 때 참석을 하면 좋을 것 같다. 상담 스킬 등 상담에 대해서 메모하는 센스!

상표의 경우 자주 사용하는
상품류와 지정상품에 대해 알아 두자.

특허사무소 업무는 쉽게, 재밌게, 단순하게

이지팻 (EASYPAT)

위에서 언급한 5가지 업무 중 특허사무소의 가장 중요한 업무 순위 첫 번째는 '기일 관리'이다. 서식작성기로 서류를 잘못 제출하였을 때에는 보정요구서를 받아서 보정서를 제출하면 되지만 마감일은 놓치면 되돌릴 수가 없다.

'이지팻(EASYPAT)'은 특허 등 사건에 대한 마감일을 관리해 주는 프로그램이다. 특허사무소에서는 없으면 안 될 필수 프로그램이다.

▲ '이지팻(EASYPAT)' 국내출원 페이지

특허로 홈페이지에서 수신한 압축 파일을 프로그램에 첨부하면 자동으로 마감일이 계산되어 표시된다.

▲ '특허로' 통지서 수신함 페이지

　그래도 이지팻(EASYPAT)만 믿지 말고 특허로에서 수신한 서류를 열어서 사건 마감일을 한번 더 확인을 하자.

　아직 이지팻(EASYPAT)을 사용하지 않는 사무소가 있다면 대표 변리사님께 요청을 하자. 월 10만 원 내외의 비용으로 보다 정확한 업무가 가능하다. (기능에 따라서 추가 비용이 발생될 수 있다.)

　(주)이지피앤피는 특허사무소로 직접 방문을 해서 사용법을 알려주는 교육을 지원해 준다. 궁금한 사항은 간편하게 전화로 물어보면 된다. (담당 연락처 : 02-3473-8129)

　자세한 사용방법은 아래 링크를 참고 바란다. 프로그램을 다루는 데 많은 도움이 될 수 있을 것이다.

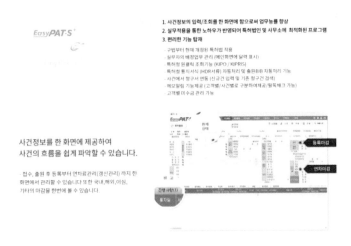

▲ 참고 자료 링크

https://www.easypnp.co.kr/web/solution_easypat.easypnp

    ** 대형 특허사무소의 경우, 자체 프로그램을 사용하는 경우도 있다. 꼭 이지팻(EASYPAT)이 아니더라도 특허 등 사건에 대해 기일을 관리해 주는 프로그램을 사용하는 것을 권한다. (아직 엑셀 파일로 마감일을 관리하는 사무소가 있다.)

구분/버전		EasyPAT-E		EasyPAT-S	
		E 기본형	E Plus	S 기본형	S Plus
기본비용 (1 User)	설치비	100만원	130만원	140만원	170만원
	사용료	10만원	13만원	14만원	17만원
사용자 추가 / 10명 이하	설치비	5만원		10만원	
	사용료	5천원 (최대 5명까지 제한)		1만원 (원하는 사용자수만큼 추가)	
10명 초과	설치비	해당사항 없음		20만원	
	사용료			2만원	
제공되는 기능		국내/인컴관리 해외출원관리 이의/심판/소송관리 기타관리 기일관리 청구서관리 선수금관리 고객관리 접발송관리 문서수발(우편물관리)		국내/인컴관리 해외출원관리 이의/심판/소송관리 기타관리 기일관리 청구서관리 선수금관리 고객관리 접발송관리 문서수발(우편물관리) 업무관리 실적관리	
최적화작업		제한적 가능		가능	
첨부파일 저장용량		10GB / 1 User (사용자가 5명인 경우, 50GB 제공)			
관리 사건수		사건수 증가에 따른 추가비용없이 관리 가능			
출력서식		MS-Word(사건연동), Excel(청구서) 등 가능			
데이타변환비용		데이터 변환난이도에 따라 협의후 결정			

* 10명이하의 사용자추가비용이 적은 이유는 10명이하 사무소의 프로그램 사용을 권장하기 위한 배려입니다.

▲ 비용 알아보기

(2024.02.20 기준)

가장 중요한 업무 순위 첫 번째는 기일 관리이다.

견적서 및 청구서

견적서와 청구서는 뭐가 다를까. 나는 견적서와 청구서의 존재를 특허사무소에 입사를 하고 처음 알았다.

견적서는 대리업무를 하기 전에 '~한 업무를 하기 위해서는 이 정도의 비용이 들어요.'라는 서류이고, 청구서는 '~한 업무를 했을 때 발생한 비용이 이 정도인데 입금을 해주세요.'라는 서류이다. 청구서는 주로 성공 보수금이 발생될 때 작성한다.

특허사무소에서는 특허를 출원할 때도 비용을 받지만, 특허가 성공적으로 등록이 될 때에도 비용을 받는다.

주로 특허출원 대리인 비용에 대한 100%가 청구된다. (만약, 출원 대리인 비용이 150만원이다? 성공수수료도 150만원이 발생된다.)

초반에 비용 합계가 계속 맞지 않아서 항상 이면지에 작성한 견적서, 청구서를 출력을 해서 형광펜으로 하나하나 체크해서 최종으로 안내했다.

지금은 '이지팻(EASYPAT)'에서 상단 청구서 탭을 이용해서 계산을 한 후 기입을 한다. 실수를 굉장히 줄여준다.

작성을 할 때 수신인, 관리번호, 작성 날짜를 잘 적고 비용을 여러 번 체크를 하자. 실제 견적서, 청구서를 보여주면서 설명을 하려고 했는데 공유가 어려울 듯 하여 첨부하지 못했다.

이미 보낸 견적서, 청구서에서 추가로 발생된 비용은 받기가 어렵다. 추가적으로 청구를 하면 클라이언트 측에서 클레임을 건다.

'견적서 비용에서는 ~원인데, 왜 ~원을 더 청구를 하시는 거죠? 더 청구한 비용은 드리기가 어렵습니다.' 해당 사례는 실제로 발생했던 상황이고, 당시 담당 직원분이 상표 2건이 등록되었는데, 대리인 수수료를 1건만 기재를 해서 청구를 하였다.

추후 확인을 하고 누락된 상표등록 1건에 대한 대리인 수수료의 비용을 추가 입금을 요청 드렸는데, 청구서와 다르다는 이유로 상표 1건에 대한 성공 수수료를 입금 받지 못하였다. '내가 잘 작성했나?' 잘 모르겠다면? 프린트해서 잘 살펴보자.

** 네이버 국어사전 검색
- 견적서 : 어떤 일을 하는 데 필요한 비용 따위를 계산하여
　　　　　 구체적으로 적은 서류
- 청구서 : 상대방에게 요구하기 위하여 작성하는 서식

　　　　　수신인, 관리번호, 작성 날짜를 잘 적고
　　　　　　비용을 여러 번 체크를 하자.

통장 관리

통장 관리는 특허사무소마다 다르다. 대표 변리사님이 관리를 하시거나, 비용 담당업체를 이용하는 경우도 있다.

이지팻(EASYPAT)으로도 발행이 가능한데, 사건이 많지 않은 사무소의 경우 세금계산서 발행 기능은 추가하지 않기 때문에 홈택스를 이용하는 경우가 많다. (이지팻(EASYPAT)은 기능에 따라 비용이 다르다.)

나의 경우 통장 관리를 한다. 대리인 수수료에 대한 부가세를 국세청에서 전자세금계산서를 발행 등을 한다.

세금계산서 발행의 경우 항상 입금을 확인하면 바로바로 한다. 세금계산서 업무는 간단한데 미뤄서 한꺼번에 하려고 하면 실수를 할수도 있고, 업무도 금세 밀리게 된다. 간단한 건데, 영수와 청구의개념을 알고 가자.

영수 : 세금계산서 발행 시점에 돈을 받은 경우
청구 : 세금계산서 발행 시점에 돈을 받지 않은 경우

'청구=선발행'이다. 주로, 회사 규모가 큰 클라이언트 측이나 정부지원사업을 받고 있는 기업인 경우 선발행을 하는 경우가 많다.

세금계산서 발행 절차를 알아보자.

<국세청 홈택스 홈페이지 접속>
: https://www.hometax.go.kr

<공인인증서 로그인>

홈택스 화면에서 '전자(세금)계산서 현금영수증·신용카드' 메뉴를 클릭하면 '전자(세금)계산서 발급' 버튼이 있다.
여기서 '전자(세금)계산서 건별발급'을 눌러 준다.

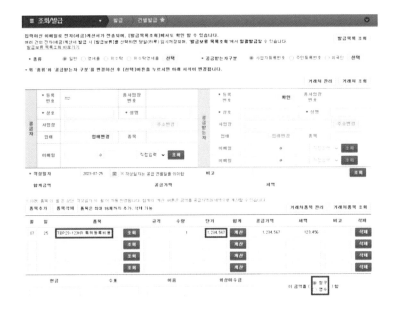

▲ '홈택스' 세금계산서 발행 화면 (청구)

공급자 = 빨간색 | 공급 받는자 = 파란색
⇒ 자동으로 셋팅이 된다.

** '공급 받는자'의 사업자등록상의 정보를 잘 기입하자.

세부적으로 전자세금계산서 발행 순서에 대해서 궁금하다면, 네이버에 '세금계산서 발행 방법'이라고 검색하면 블로그 등에 친절하게 이미지로 잘 나와 있으니 참고 바란다.

세무회계사무소에서 7월과 12월에 통장 사용내역을 요청하는 경우가 있는데, 입출금이 발생할 때마다 메모를 해두면 정리해서 제출할 때 편리하다.

　** 입출금내역 등은 엑셀로도 변경해서 다운로드가 가능하니 참
고하자. (아래 화면은 기업은행 참고)

　　　영수: 세금계산서 발행 시점에 돈을 받은 경우
　　　청구: 세금계산서 발행 시점에 돈을 받지 않은 경우

서식작성기

서식작성기는 크게 ①서식작성기 ②통합서식작성기 두가지 프로그램이 있다. 두가지 모두 서류를 제출하는 프로그램이다. ①서식작성기는 2022년 10월부터 다운로드가 차단 되었다. 따라서 ②통합서식작성기를 사용하는 것을 권한다. 우선, 통합서식작성기 다운로드 받는 방법을 알아보자.

▲ '특허로' https://www.patent.go.kr 접속

메인 화면에서 아래 부분으로 스크롤을 하다 보면 위와 같은 아이콘(전자출원SW다운로드)이 나온다.

▲ '통합서식작성기' 설치 화면

위와 같이 통합서식작성기를 다운로드 받으면 된다.

▲ '통합서식작성기' 프로그램 화면

첨부한 이미지와 같이 Windows 98 같은 화면이 나온다면, 설치가 잘 되었다. 처음 프로그램을 열어보았을 때는 굉장히 낯설고, 당황스럽지만 친절하게 차근차근 알려드리겠다.

등잔 밑이 어둡다고, 설치할 때 친절하게 통합서식작성기 사용설명서가 기재되어 있다.

▲ '통합서식작성기 사용설명서' 화면

통합서식작성기의 사용설명서를 다운로드 받아서 살펴보면 다음과 같다.

목 차

▲ '통합서식작성기 도움말' 목차

  기본적인 기능이나 파일관리 등의 설명이 있다. 하지만 도움말로는 서식을 작성하기 어려움이 많다. 진짜 양식에 대해 대처할 수 있는 경로를 알려드리겠다.

▲ '출원서식 작성예제' 화면

▲ '출원서식 작성예제' 세부 화면

■ 특허법 시행규칙 [별지 제14호서식] <개정 2016.10.4.>　　　특허로(www.patent.go.kr)에서
온라인으로 제출 가능합니다.

특허출원서

(앞쪽)

【출원 구분】 ☒ 특허출원　　　□ 분할출원　　　□ 변경출원
　　　　　　　□ 무권리자의 출원 후에 한 정당한 권리자의 출원
(【참조번호】)
【출원인】
　【성명(명칭)】 김출원
　【특허고객번호】 4-2005-031378-7
【대리인】
　【성명(명칭)】
　【대리인번호】
(【포괄위임등록번호】)
【발명의 국문명칭】 수소 자동차
【발명의 영문명칭】 Hydrogen-fueled car
【발명자】
　【성명】 김발명
　【특허고객번호】 4-2000-043206-9
【출원언어】 ☒ 국어　　　□ 영어
(【원출원(무권리자 출원)의 출원번호】)
(【우선권주장】
　【출원국명】
　【출원번호】
　【출원일자】
　【증명서류】
　【접근코드】
(【기타사항】□ 심사청구　□ 심사유예신청　□ 조기공개신청　□ 공지예외적용
　　　　　　□ 미생물기탁　□ 서열목록　　□ 기술이전희망　□ 국가연구개발사업
　　　　　　□ 국방관련 비밀출원)
(【유예희망시점】 심사청구일 후 24개월이 지난 때부터 ( )개월)
(【심사청구료 납부유예】□ 필요 □ 불필요)
위와 같이 특허청장에게 제출합니다.
　　　　　　　　　　　　　　　　　　출원인(대리인) 김출원　 (서명 또는 인)
【수수료】(기재요령 제11호를 참조합니다)
　【출원료】　　　연　　　　　원
(【수수료 자동납부번호】)
　【첨부서류】 1. 명세서·요약서 및 도면 각 1통
　　　　　　 2. 정당한 권리자임을 증명하는 서류 1통(정당한 권리자의 출원만 해당합
　　　　　　　　니다)
　　　　　　 3. 대리인에 의하여 절차를 밟는 경우에는 그 대리권을 증명하는 서류
　　　　　　　　1통
　　　　　　 4. 그 밖의 법령에 따른 증명서류 1통

▲ '특허출원서' 예제

해당 페이지를 참고하면 서식작성기를 작성하는데 많은 도움이 될 수 있을 것이라고 생각한다. 물론 어려운 부분은 특허고객상담센터(1544-8080)에 전화해서 물어보면 된다.

기본적인 양식에 대한 이해는 필요하기 때문에 클릭해서 살펴본 후 상담사와 상담을 하면 보다 빠르게 상담이 가능하다.

서식작성기에 대해 조금 더 깊이 알고 싶다면, 특허청 홈페이지 '간행물'에서 '출원서식 표준 사례집'을 참고하면 된다.

제2편 출원서식 표준사례

또한, 【첨부서류】란에는 공지예외적용 대상임을 증명하는 서류명을 적고, 이를 출원서에 첨부합니다.

[예] 【기타사항】
　　　【공지예외적용대상 증명서류의 내용】
　　　【공개형태】 논문 발표
　　　【공개일자】 2012.03.05.

라. 미생물기탁

(1) 2009년 12월 31일 전에 출원된 출원건인 경우

미생물기탁 사항의 □ 안에 표시한 경우에는 다음 예와 같이 【기타사항】란의 다음 행에 【미생물기탁】, 【기탁기관명】, 【수탁번호】 및 【수탁일자】란을 각각 만들어 미생물 기탁정보를 적으며, 2 이상의 미생물을 기탁한 경우에는 해당 식별항목을 추가로 만들어 적습니다. 또한, 【첨부서류】란에 미생물기탁 사실을 입증하는 서류명을 적은 후 이를 출원서에 첨부합니다.

[예] 【기타사항】
　　　【미생물기탁】
　　　【기탁기관명】 생명공학연구소(KRIBB)
　　　【수탁번호】 KCTC 0000P
　　　【수탁일자】 2007. 1. 1.
　　　【미생물 기탁】
　　　【기탁기관명】 생명공학연구소(KRIBB)
　　　【수탁번호】 KCTC 0000BP
　　　【수탁일자】 2007. 1. 1.

▲ '특허청 주요발행물' 화면

    참고로 실무적인 업무에 필요한 프로그램, 서류 다운로드는 특허로 홈페이지에서 조회가 가능하고, 이론적인 간행물이나 민원서식들의 경우 특허청 홈페이지에서 조회가 가능하다.

'특허로' 홈페이지
: https://www.patent.go.kr

'특허청' 홈페이지
: https://www.kipo.go.kr

d. 인증서를 찾아 비밀번호 입력 후 '확인' 클릭 후 특허고객번호 맞으면 '확인' 클릭

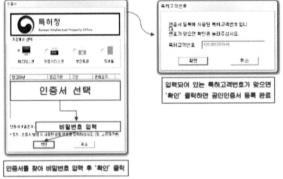

② 사용자등록신청 신청결과 조회

사용자등록신청의 '신청결과조회'를 선택 후 '접수번호로 조회' 또는 '출원인/대리인 정보로 조회'를 입력하면 신청절차에 대한 처리결과를 조회할 수 있습니다.

▲ '출원 실전 가이드북' 세부 내용 화면

▲ '출원 실전 가이드북' 검색 화면

▲ '특허고객 상담사례집' 검색 화면

'출원 실전 가이드북'은 2018년도 자료지만 상표출원 절차에 대해서 설명이 잘 되어 있으니 참고하자.

모르는 부분은 특허청 홈페이지 '간행물'에서
자료를 참고하면 된다.

메일 작성

▲ '티비즈특허법률사무소' 메일 기본양식

현재 근무하고 있는 사무소의 보내기 메일의 기본 양식이다. '편지쓰기'를 클릭하면 자동으로 불러지도록 설정을 해두었다.

대부분의 메일 업체에서는 서명을 설정할 수 있는 기능을 넣어둔다. 설정이나 환경설정으로 들어가면 있다.

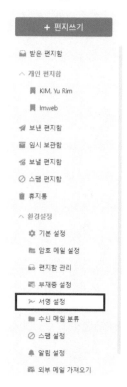

▲ 'hiworks' 서명 설정 페이지

메일을 보낼 때는 '을', '를'을 붙여서 보내면 보다 명확한 전달이 된다.

'금일 보내주신 서류 잘 받았습니다.'
'금일 보내주신 서류를 잘 받았습니다.'

위의 내용은 전 직장 변리사님께 지적 받은 내용이라 항상 참고해서 메일을 작성하고 있다.

메일을 수신 받았으면 잘 받았다는 내용을 회신하면 된다. 강조하고 싶은 부분은 해외 업무에서는 당 사무소에서 메일을 송부하면, 회신을 받았다는 내용의 메일을 꼭 확인해야 한다.

아래 문구는 해외 대리인 측에서 통상적으로 보내는 내용이다.

"Your e-mail has been received safely.
Best regards,"

해외 대리인 측에서 본인이 보낸 메일에 대한 답변이 없다면 한 번 더 리마인드 메일을 보내야 한다.

해외 대리인 측에서 메일 확인하는 것을 놓치는 경우가 종종 있다. 그러면 해외출원이 늦어지거나, 중간사건 대응이 늦어질 수 있어서 추가 비용이 발생될 수 있다.

추후 문제가 발생했을 때를 대비해서 반드시 답변(Ack)을 확인하자.

메일 업무처리에서 실무 팁이 있는데 중요한 메일은 메일 옆에 메모를 추가하거나 별표를 체크하여 따로 표시를 해두는 것이다. 이렇게 해두면 간단하게 찾고자 하는 단어를 검색란에 기입해서 빠르게 찾을 수 있다.

별표만 따로 모아서 볼 수 있으니 미처리 메일들을 한번에 볼 수 있어서 편리하다.

- hiworks: 별표
- outlook: 깃발

hiworks   메일 ▾   ○□ ★ 롬실훈   [TBP22-151PCT PCT메...] RE RE> RE [디비즈독어] PCT 제품 사업 위산 교첨이 2!
(TBP22-151PCT) [예외홍원 내강원] - 2024-04-12|

▲ 'hiworks' 메모 예시

중요한 메일은 메일 옆에 메모를 추가하거나
별표 등 구분을 하자.

일상에 새로운 습관 덧붙이기

광고 및 홍보

큰 사무소의 경우 마케팅 업무만 전문적으로 하는 직원이 있지만 작은 사무소의 경우 마케팅 담당 직원이 따로 없는 경우가 많다.

처음 입사한 특허사무소는 개업한지 얼마 되지 않은 특허사무소라 통합서식기를 다뤄서 서류를 제출하는 경우는 손에 꼽을 정도였고, 기일을 관리할 사건도 없었다. 그렇다 보니 하루 종일 멍하게 있다가 퇴근하는 경우가 많았다. 그러다 문득 '내가 이 시간을 어떻게 보람 있게 보낼 수 있을까.' 그리고 '어떻게 하면 이 회사에 도움이 되는 존재가 될 수 있을까.'라는 고민을 많이 했다.

나는 미용 분야의 헤어디자인 학과를 전공했는데 특허와는 전혀 무관한 전공이었고, 다른 부분에서 어필을 하고 싶었다. 그때 무작정 시작했던 것이 인스타그램 홍보였다. 인스타그램을 하지 않아서 태그가 무엇인지도 몰랐다.

그런 상황에서 무작정 일상 사진과 간단한 글을 올렸다. 태그도 회사를 잘 나타낼 수 있는 단어로 업로드를 했다. 1년을 꾸준히 했더니, 관납료와 부가세를 포함한 가격이긴 하나 정산을 해보니 2,000만원이 넘었다.

그냥 심심해서 사진과 글을 올렸을 뿐인데 사진과 태그를 통해 문의를 준 경우가 많았다.

홍보라고 하면 보통 블로그를 생각하고 하는 경우가 많은데, 나는 인스타그램처럼 간편하게 사진과 짧은 글을 올리는 것을 추천한다. 무엇이든 꾸준히 활동을 하는 것이 좋은데 블로그는 지속성이 어렵기 때문이다.

case-by-case지만 신입일 때는 보통 업무의 강도가 낮고 업무량이 많지 않다. 이때 회사를 홍보할 수 있는 방법을 찾아서 해보면 어떨까?

▲ '특허법인오킴스' 인스타그램 화면

▲ '티비즈특허법률사무소': 인스타그램 화면

인스타그램 회사 계정으로 사진과 짧은 글을 올려 보자.

정부지원사업

요즘은 정부에서 기업들에게 특허, 상표 등을 지원해 주는 사업들이 많다. 특허사무소에 특허출원을 그냥 의뢰하는 경우도 있지만 정부지원사업을 연계해서 특허출원을 진행할 수도 있다.

위에서 소개한 특허사무소에서 해야 할 업무를 마무리하면 기존 고객 혹은 인스타그램을 통해 소통하는 팔로우들의 소재지에 따라 적합한 공고들을 추천해 주기도 한다.

주된 업무가 사업화의 업무는 아니라 중간중간 체크해서 알려주고는 하는데 추후 기억하시고 연락을 주는 경우가 있다.

각 업체의 대표님들께 적합한 정부지원사업을 매칭하여 도움을 드릴 때는 뿌듯하고 성취감을 느낀다. 작은 시간을 들여서 기존 클라이언트 측에 관련된 공고문을 안내하는 것을 추천한다.

나의 경우 '기업마당' 또는 '한국테크노파크진흥회' 홈페이지를 많이 참고한다.

▲ '기업마당' 홈페이지

https://www.bizinfo.go.kr/web/index.do

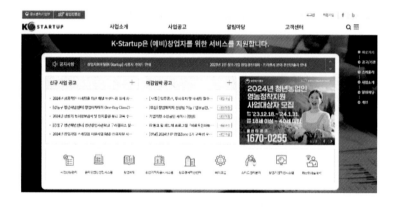

▲ 'K-STARTUP' 홈페이지

https://www.k-startup.go.kr

▲ '판판대로' 홈페이지

https://www.fanfandaero.kr

▲ '한국테크노파크진흥회' 홈페이지

http://www.technopark.kr

클라이언트 측으로 정부지원사업 공고문을 전달 드리자.

___

사업계획서 작성

　재직 중인 특허사무소의 경우는 정부지원사업만 전문적으로 다루는 사업화팀이 존재한다. 그렇기 때문에 특허 관리자가 사업계획서 등을 작성하지 않는다.

　그럼에도 불구하고 '사업계획서 작성'을 넣은 이유는 관리자도 정부지원사업의 공고문을 이해하고 사업계획서를 어느 정도는 작성할 줄 알면 좋을 것 같아서 넣었다.

　간단한 발명을 보유하고 있는 업체의 경우에는 연습 삼아서 사업계획서를 작성하는 편인데 복잡하고 어렵다.

　교보문고나 영풍문고를 들러서 사업계획서 관련한 서적을 읽기도 하고, 구매도 한다. 계속 책을 구매하다 보니 보관 장소도 마땅치 않고, 경제적인 부분에 있어서도 부담이 되었다.

　그러다가 2022년에 전자책 어플 '밀리의 서재'를 알게 되었고, 현재까지 잘 이용하고 있다. '밀리의 서재' 어플은 뒤에서 자세히 다루겠다.

　사업 공고문에서는 요구하는 항목들이 있는데, 반복되는 경우가 많다. 이해가 어렵거나 궁금한 부분이 생겼을 때 좋은 방법은 공고문 아래에 기재되어 있는 담당자의 연락처로 문의를 하는 것이다.

▲ '2024년 [소상공인 IP(지식재산) 역량 강화]
상표출원 지원 사업' 공고문

관리자가 하는 업무는 언급한 대로 ①이지팻 (EASYPAT) ②견적서 및 청구서 ③통장 관리 ④서식작성기 ⑤메일 작성으로 5가지가 있다. 1년 정도하다 보면 비슷한 업무들이 많기 때문에 빠르게 처리할 수 있다.

위에 기재한 5가지 업무를 다 처리하고 여유시간이 있다면 정부지원사업에 관심을 가지고 사업계획서를 써보자. 특허 업무에 대한 시야가 넓어지고 이해도가 높아질 것이다. 분명히 추후에 당신의 커리어에 많은 도움이 될 것이다.

여유시간이 있다면 정부지원사업 사업계획서를 써보자.

홈페이지 제작

재직 중인 특허사무소의 홈페이지는 2022년에 직접 만들었고 현재까지 크게 문제없이 사용하고 있다. 전문가가 만든 것이 아니기 때문에 다소 심플하지만 필요한 요소들은 다 갖춰져있다.

설립한지 얼마 되지 않은 사무소의 경우에는 홈페이지가 없는 경우도 있다. 홈페이지를 생성하는 비용은 원하는 요소에 따라 비용이 추가되는데 업체마다 다르겠지만 문의한 결과 최소 200~300만 원부터 시작이 되었다.

내가 홈페이지를 만들게 된 계기는 사무소 지출 비용을 줄이기 위함이었다. 이상하게 사무소에서 지출하는 비용은 내 돈이 나가는 것 같은 느낌이 든다.

코드를 입력해서 홈페이지를 만드는 것은 무리이고, 간편하게 홈페이지를 만드는 방법이 없는지 폭풍으로 검색을 해본 결과 '아임웹'이라는 홈페이지를 알게 되었다.

기본적으로 템플릿이 제공이 된다. 그냥 이를 응용해서 원하는 디자인으로 자유롭게 변경하면 된다.

'원하는 디자인을 가져다 놓기만 하세요.
쉬우면서도 딱 맞는 기능과 감각적인 디자인!'

그 문구에 이끌려서 접속해서 무료버전을 이용하다가 도메인 구매 후 홈페이지로 사용을 했다. 홈페이지 기본 생성 비용은 무료이고, 개인 도메인을 사용할 경우 비용이 발생한다.

도메인은 '반값도메인' 홈페이지에서 결제해서 사용중이다. '아임웹' 에서도 도메인 구입이 가능하다.

▲ '아임웹' 홈페이지

https://imweb.me

▲ '반값도메인' 홈페이지

https://www.halfdomain.co.kr

처음에는 굉장히 복잡하고 시간이 많이 소요되었다. 열심히 만들었는데 저장을 잘못해서 초기화가 되었고 결국 다시 만들었다. 한 번 시작하면 끝을 보려고 하는 성격 때문에 홈페이지를 생성하느라 야근을 했다.

혹시나 특허사무소에서 홈페이지를 만들어야 할 경우가 생긴다면 해당 파트가 많은 도움이 될 것이라고 생각이 된다. 코딩을 몰라도 포토샵을 몰라도 감각적인 반응형 웹사이트를 만들 수 있으니 잘 참고하자. 이상 '내돈내산'은 아니고 '회사돈회사산' 후기이다.

▲ '티비즈특허법률사무소' 홈페이지

https://www.tbizip.com

▲ '티비즈특허마켓' 홈페이지

http://www.tbizmarket.com

홈페이지를 만드는 것은 생각보다 어렵지 않다.

노력은 최소로, 성과는 최대로

미리캔버스

미리캔버스는 나만 알고 싶은 것 중에 하나이다. 『만일 내가 특허
사무소를 다시 입사하게 된다면』의 표지도 셀프로 제작했다. 요즘
은 미리캔버스를 아시는 분들이 많은 것 같다. 그래도 아직 모르시
는 분들도 있을 테니 공유를 한다.

미리캔버스는 디자인부터 동영상까지 간편하게, 그리고 저작권
걱정 없이 무료로 만들 수 있는 홈페이지이다.

▲ '미리캔버스' 홈페이지 화면
https://www.miricanvas.com

접속하면 다양한 템플릿을 사용할 수 있다. PPT, 카드뉴스, 유튜브 썸네일 등 타입이 굉장히 많다. 디자인을 제작하면 pdf, jpg, png 등 필요한 양식으로 다운로드가 가능하다.

무료 템플릿이 있고 유료로 사용할 수 있는 템플릿이 있다. 나의 경우 사비로 1년 사용권을 결제해서 사용하고 있는데 전혀 비용이 아깝지가 않다. 할인 적용이 되지 않지만 한 달도 결제가 가능하다.

▲ 'PPT 템플릿' 화면

한달에 디자인 작업을 할 일이 1~2개 정도라면 무료 템플릿을 권한다. 하지만 사무소에서 주기적으로 블로그, 인스타 이미지 제작 업무를 맡고 있다면 대표 변리사님께 사용료 지원을 요청하자.

▲ '월간 요금표' 화면 (2024.01.16 기준)

다양한 템플릿으로 간단한 디자인 작업을 해보자.

밀리의 서재

앞에서 잠깐 소개한 '밀리의 서재'를 자세히 소개한다.

▲ '밀리의 서재' 홈페이지 주소
https://www.millie.co.kr

정부지원사업 사업계획서 작성을 할 때 도움을 많이 받는다고 했
는데 뿐만 아니라 다양한 분야의 서적을 간편하게 다운로드해서 볼
수 있어서 참 좋다.

▲ '정부지원사업' 검색결과 화면

 해당 전자책 어플은 특허 관련 공부를 할 때 도움이 많이 되리라
생각이 든다.

▲ '특허' 검색결과 화면

다소 딱딱한 특허청 간행물이나 도움말과는 달리 가볍고 편하게 읽을 수 있는 내용들이 포함되어 있다.

특허 업계에서 경력이 많은 분들의 다양한 생각들을 클릭 하나로 바로바로 공유할 수 있다니 얼마나 감사한가.

▲ '요금 및 이벤트' 알아보기
(2024.01.16 기준)

다양한 분야의 서적을 간편하게 읽어보자.

웬만하면 단순하게 갑시다

국내 업무

일반적으로 특허사무소의 경우 크게 국내 업무와 해외 업무로 나뉘게 된다. 우선, 사건을 보는 방법부터 알아보자. 입사 후 사건 폴더를 열어보면, 알 수 없는 영어와 숫자가 합쳐진 폴더들이 저장되어 있다.

TBP24-123KR : 특허 (Patent)

TBU24-123KR : 실용신안 (Utility model)

TBD24-123KR : 디자인 (Design)

TBT24-123KR : 상표 (Trademark)

천천히 알아보면, 앞에 'TB'는 회사 약자다. 따라서 회사마다 표기하는 방법이 다르다.

'TB'의 경우, 현재 사무소의 약자다. 뒤에 '24'는 사건이 발생된 년도이다. '24'는 2024년에 해당한다. 그럼 뒤에 'P', 'U' 등은? 괄호의 영문의 약자 특허 (Patent) 등이다. 그 뒤에 적힌 '123'은 사건번호이다. 123번째 특허건이라는 거다.

정리하자면, 'TBP24-123 = 24년도에 123번째로 출원한 특허'이다.

KR은 한국의 영문 명칭 'KOREA'를 줄여서 표기한 것이다.

미국 사건은? US 중국 사건은? CN 일본 사건은? JP

<u>관리번호를 파악하는 것은 기본이니 외워두자.</u>

자, 이제 사건을 알아보는 방법을 알아봤으니 특허, 상표 등 심사 흐름도를 알아보도록 하겠다. 너무 광범위하고 무엇을 공유해야할 까 싶었지만, 신입 특허 관리자가 기본적으로 실무에 들어가기 전에 알아야할 내용들을 적으려고 노력했다.

심사흐름도는 특허청에 업로드 된 정보가 제일 보기 편하고, 이해가 쉽게 기재가 되어 있다.

▲ '지식재산제도' 화면

'지식재산제도' 페이지를 통해 지식재산의 개념에 대해 정리할 수 있다.

특허출원 후 심사 흐름도

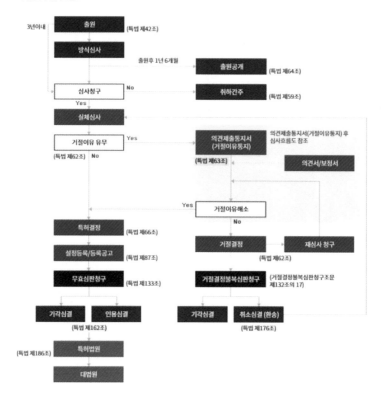

▲ '특허의 이해 흐름도' 화면 (2024.01.16 기준)
→ '특허의 이해' 클릭 후 아래로 스크롤

'특허'라는 존재 자체를 잘 몰랐던 나는 위의 절차들을 이해하기까지 1년은 넘게 걸렸다. 신입의 경우, 최소 6개월에서 1년 정도는 업무를 해봐야 흐름을 알게 될 것이다.

　처음에는 위의 흐름도 화면을 가볍게 살펴보고 '방식심사' 및 '실체심사'와 같은 단어들 정도만 외워두자.

　위 절차를 보면 화살표와 어려운 단어들이 구구절절 적혀 있는데 신입 특허 관리자가 알아야 할 절차는 아래와 같다.

1. 서류를 특허청으로 제출(=출원)한다.
2. 특허청에서 방식심사(=오타 등 확인)를 한다.
3. 특허청에서 실체심사(=발명 내용에 대한 심사)를 한다.
4. 특허청에서 의견제출통지서(=심사관이 보정을 요청)가 나온다. (필수적으로 나오는 서류는 아니다.)
5. 특허청에서 등록여부가 결정이 된다. (등록결정서 or 거절결정서)
6. 등록결정시에는 관납료를 납부해서 등록을 하면 되고, 거절결정시에는 거절 내용에 대해서 대응을 하면 된다. (대응을 해도 최종적으로 거절결정이 날 수 있다)

　참고로 상표는 등록결정 전 '출원공고결정서'를 먼저 받게 된다. 상표등록출원서가 수리되고 '출원공고결정서'를 받았다고 해서 상표등록이 확정이 된 건 아니고 제3자로부터 2개월 정도의 기간 동안 이의신청이 없어야 된다.

　'출원공고결정서'가 나오면 거의 대부분 등록결정서가 나온다고 보면 된다.

발송번호: 9-5-2024　　　　　　　　　수신　　서울특별시 강남구
발송일자: 2024.02.01.

06234

특 허 청
출원공고결정서

출 원 인 성 명　주식회사　　　　(특허고객번호: 12022　　　　)
　　　　주　소　대전광역시

대 리 인 성 명　김
　　　　주　소　서울특별시 강남구

출 원 번 호　40-2023-
상 품 류　제 7 류

이 출원에 대하여 상표법 제57조에 따라 출원공고를 결정합니다.

참고 : 상표견본이미지

가나다라

(※ 본 통지서의 상표견본 이미지는 출원서에 첨부된 상표견본과 다소 상이할 수 있음을 참고하시기 바랍니다.)

▲ '출원공고결정서' 서류

　다음 페이지에서는 특허, 실용신안, 디자인, 상표에 대한 존속기간을 알아보자. 권리존속기간에 대한 예시도 기재를 해두었다.

◎특허

설정등록일로부터 특허출원일후 20년까지

출원일 : 2021-11-30

등록일 : 2022-06-07

권리존속기간 : 2041-11-30

◎실용신안

설정등록일로부터 실용신안출원일 후 10년까지

출원일 : 2020-12-18

등록일 : 2021-08-26

권리존속기간 : 2030-12-18

◎디자인

설정등록일로부터 디자인출원일 후 20년까지

출원일 : 2020-07-10

등록일 : 2021-03-11

권리존속기간 : 2040-07-10

◎상표

설정등록일로부터 10년이며, 10년마다 갱신가능 반영구적 권리

출원일 : 2012-05-24

등록일 : 2013-08-05

갱신 마감일 : 2023-08-05

과태일 : 2024-02-05

★<u>상표는 등록 마감일을 꼭 지켜야 한다.</u> 하루라도 지나면 등록이 되지 않는다. 등록 후 10년이 지나서 갱신할 경우는 마감일로부터 6개월까지는 납부가 가능하지만 과태료가 발생한다.

권리존속기간		2041-09-27	
연차관리여부		⊙ Y ○ N	
연차관리 🔍	차수	4	감면율 50% ⌄
	정상 2025-05-09		118,000
	과태 2025-11-09		139,240
	회복 2026-02-09		236,000
	연차위임	일 자	🗓
		업 체	

▲ '이지팻(EASYPAT)' 출원 화면 (특허)

이지팻(EASYPAT) '국내출원' 탭의 사건을 클릭하면 우측 하단에 자동으로 권리존속기간이 설정된다. 계산이 어렵다면, 이지팻(EASYPAT)을 참고하면 된다.

'TBP23-123KR'은 무슨 사건일까?

해외 업무

해외 업무는 규모가 있는 사무소의 경우는 번역 담당, 비용 담당 등 체계적으로 담당자가 있다. 하지만 규모가 작은 사무소의 경우 국내 관리자가 해외 관리 업무를 같이 하기도 한다.

나는 국내업무와 해외업무 두 가지를 맡고 있는데, 다행히도 해외 대리인 사무소에 한국 직원분이 계셔서 한국어로 소통을 하고 있다.

당소에서 업무를 진행하고 있는 인도 대리인 사무소 같은 경우는 한글로 번역해서 메일을 보내주시지만, 여러 번 리마인드 메일을 보냈는데 Ack 메일이 오지 않을 때 가끔 전화를 해야 하는 경우가 있다.

그래서 전화를 한 적이 있다. 전화를 걸었는데, 해외 대리인이 'Hello?'라고 말을 하자 마자 너무 당황해서 전화를 끊은 기억이 있다.

어떻게 해야 하나 고민 끝에 구글 번역기를 돌려서 대화를 나누었다.

I'm not good at English, so I'd appreciate it
if you could speak slowly.

제가 영어를 잘 못해서
천천히 말씀주시면 감사하겠습니다.

위의 내용을 먼저 말했다. 다소 부끄럽지만, 진심은 통한다고 생각한다.

참고로, 구글 번역기를 이용할 때는 주어를 잘 기입해야 한다. 예를 들면, 주어를 기입하지 않고 "특허출원이 어떻게 되어 가고 있나요?"라고 검색을 하면 "How is your patent application going?"으로 변경이 된다.

하지만 "저희 사무소의 특허출원이 어떻게 되어 가고 있나요?"라고 주어를 기입하면 "How is our office's patent application going?"으로 변경이 되기 때문에 상대방이 더 이해하기가 쉬울 것이다.

나는 영어를 잘 못하지만 감사하게도 읽을 줄 안다. 부족한 영어를 더듬더듬 거리며 전화를 종료했는데 사업화 팀의 한 직원분이 "멋져요."라고 말을 해주었다.

영어 공부를 하면 좋겠지만, 기본적으로 읽고 조금 이해할 수 있는 정도라도 괜찮다고 생각 한다. "영어 공부하자."해도 작심삼일이지 않는가.

해외 업무 절차나 비용 등 다 알 수는 없었다. 그래서 한국 직원분의 카톡 아이디를 전달을 받아서 궁금한 내용을 그때그때 남겨두곤 한다. 오전에 문의를 하면, 저녁이나 새벽에 답변이 온다.

해외업무는 교육을 받는 것을 추천한다. 교육 비용은 보통 유료 (18만원~20만원)로 진행되는 경우가 많다.

대한변리사회에서는 무료로 교육을 진행해 주기도 한다. 나의 경우 [송파여성인력개발센터 협업] 해외 IP 관리실무 인재 양성 교육에 참여하였다.

[송파여성인력개발센터 협업]
해외 IP 관리실무 인재 양성 교육

 교육개요

특   허

2023. 04. 24(월) ~ 04. 27(목), 14:00 ~ 18:00 (16H)

상표/디자인

2023. 05. 08(월) ~ 05. 10(수), 14:00 ~ 18:00 (12H)

장   소

서울 송파구 중대로9길 34, 송파여성인력개발센터

비   용

회원사무소 대상 무료 진행

신 청 대
상

특허법률사무소/법인 2 ~ 4년차 IP 관리 직원

신 청 인
원

과정별 각 **20명** 선착순 모집 (추가 인원 신청 불가능)

특허 과정

일정	시간		주제	강사 (리앤목특허법인)
4/24	14:00 ~ 18:00	(4H)	해외 특허 출원 제도 일반 및 PCT 미국/유럽 특허 등록 절차 및 출원	이호근 변리사
4/25	14:00 ~ 15:00	(1H)	유럽 특허 등록 절차 및 출원	이호근 변리사
〃	15:00 ~ 18:00	(3H)	중국/일본 특허 등록 절차 및 출원	이재연 변리사
4/26	14:00 ~ 18:00	(4H)	국가별 기일 및 비용 관리	홍은경 부 장
4/27	14:00 ~ 18:00	(4H)	(실습) 해외 특허 출원 서류 준비	가나현 과 장

상표/디자인 과정

일정	시간		주제	강사 (리앤목특허법인)
5/8	14:00 ~ 18:00	(4H)	헤이그 디자인 등록 절차 및 출원 (실습) 해외 디자인 출원 서류 준비	배수안 변리사
5/9	14:00 ~ 18:00	(4H)	마드리드 상표 등록 절차 및 출원 (실습) 해외 상표 출원 서류 준비	이성화 변리사
5/10	14:00~17:00	(3H)	미국/EU/일본 상표 등록 절차 및 출원	백승혜 변리사
〃	17:00 ~ 18:00	(1H)	중국 상표 등록 절차 및 출원	이지현 변리사

무료교육은 선착순으로 모집을 하기 때문에 공고가 올라오면 바로 신청하는 것을 권한다. 교육은 회사측에 지원을 요청하자.

▲'대한변리사협회' 홈페이지

https://www.kpaa.or.kr

▲대한변리사협회 교육 신청 링크

https://reg.kpaa.or.kr/kpaa/eduMgmt/extnl/extnlIndex.do?newVal=1

해외 대리인 측의 Ack를 확인을 하자.

목적은 완벽함이 아니라 완주다

해외 특허출원 (PCT)

해외 업무를 한다고 한다면 PCT출원은 할 수 있어야 한다. 경력직으로 해외 관리사무소로 이직을 하게 되면 국내 관리 직원이 특허출원을 하는 것처럼 해외특허출원(PCT)를 자연스럽게 하게 된다.

과거에는 '특허로' 홈페이지에서 'PCT-SAFE'를 다운로드해서 출원을 했지만 요즘에는 'WIPO' 홈페이지에서 진행을 한다.

▲ 'WIPO' ePCT 화면

https://pct.wipo.int/ePCT/about-pct.xhtml?lang=ko

해당 특허 사무소의 정보로 로그인을 하면 아래와 같은 페이지가
나온다.

다양한 인증 방법에서 '푸시 알림'을 이용해서 인증을 하고 들어
가면 편리하다.

앱정보

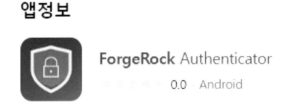

▲ 'ForgeRock Authenticator' 어플 다운로드

로그인 후 ePCT 서류를 작성하기 전에 상단 탭에 '한국어'로 변
경하면 이해하기가 더 편하다.

먼저 '새 국제출원 생성' 탭을 클릭한다.

출원인과 대리인의 서류참조기호에 사무소의 관리번호와 수리관청 'KR-대한민국 특허청'을 클릭 후 생성한다.

이후 따로 클릭할 것 없이 업데이트를 해주면 된다.

PCT출원은 대부분 우선권 주장을 진행한다. 해당 사건의 한국 출원번호를 기재해주면 된다. 기재 후 확인을 하고 넘어가자.

** 우선권 주장 : 국내 출원번호, 출원일 기재

다음은 별표 중요한 내용이다. 많이들 놓치는데 집중을 하자.

지정국 제외에 아래와 같이 한국을 클릭 해주어야 한다.

'KR 대한민국은 어떠한 종류의 국내적 권리 보호를 위해서도 지정되지 않습니다.'를 체크를 하고 업데이트 진행을 해준다.

우선권 주장은 보통 국내건을 바탕으로 하는데 굳이 중국, 일본이 등이 아닌 한국으로 진입시킬 필요가 없기 때문이다.

자, 이제 출원인 정보와 대리인 정보를 기입해보자. 아래와 같이 순차적으로 클릭을 한다. 첫 번째는 출원인[들]/발명자[들] 추가를 눌러 준다.

이름

국제조사

선언서

생물

다음으로는 출원인이랑 발명자가 다를 경우는 각각 적어주는데, 만약 동일 인물이라면 아래와 같이 '출원인 겸 발명자'를 클릭하면 편하다.

참고로 출원인, 발명자는 이메일 작성을 할 필요는 없다. 대리인 측으로 서류를 보내기 때문이다.

이름

종관이 안을 (명. 존등 교신을 위해 XML 나 KHz의 이메일 주소을 기재해야 합니다)

　　이런 내용의 다소 무서운 빨간색 알람이 뜨는데, 대리인 측 탭에 들어가서 대리인의 정보를 입력할 때 이메일 주소를 기재하면 사라지게 된다.

　　정리하자면 출원인 측에 이메일을 기재할 필요가 없다는 이야기다. 나머지 쭉쭉쭉 내려가고, XML 형식의 명세서와 도면 이미지를 넣어주면 된다.

　　국내 업무로 치면 HLZ 파일 정도라고 생각하면 된다. 해당 파일과 도면 등은 담당 변리사님이 전달을 해준다. (아래 대표도면 번호를 기재하라고 되어 있는데, 이는 담당 변리사님께 여쭤보면 된다.)

파일을 넣는다면, 자동으로 기재가 된다. 참고로 파일(XML 형식의 명세서와 도면 이미지)을 저장하는 폴더명은 영문이어야 한다.

📁 PCT　　　　　　　　　2023-07-06 오후 4:49　　파일 폴더

한글이나 띄어쓰기 등으로 만든 폴더명에 넣으면 오류가 난다.
ePCT는 종이 위임장을 필수로 내지 않아도 되며 출원인 및 대리인 둘 다 문자열 서명을 하면 된다.
아래와 같이 문자열로 간편하게 기입하면 위임 끝이다.

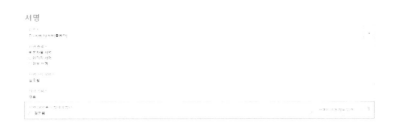

최종적으로 검토 및 제출을 누르면 최종 파일을 확인할 수 있다.
확인 후 수정 혹은 제출을 하면 끝이다.

이게 WIPO ePCT 출원의 끝이다.

다음은 납부서 제출이 필요한데, 이는 통합서식작성기로 납부를 하면 된다.

　납부를 해야 할 수수료는 국제출원료와 국제출원료 이외의 수수료이다. 통합서식작성기에서 각각 수수료납부서를 제출을 해야 하니 잘 알아보자.

각 항목에 대한 도움말은 [?]버튼을 클릭하시면 됩니다.

수수료납부서

[] : 필수기재항목,　▽ : 복수개 입력 가능 항목,　□ : 체크시 선택입력항목

【구분항목】　국제출원수수료(국제출원료)　▼

【국제출원번호】[?]　PCT/ KR　▼　2021 / (　　)

【납부구분】　[?]　국제출원수수료(국제출원료)

▽출원인 [?]　　　　　　　　　　　　　　　사용자DB 조회 및 입력
【출원인】
　【성명】　　　;
　【주소】　　　(
　【특허고객번호】　4 - ; ; - (　 - 5

☑ 대리인　 [?]　　　　　　　　　　　　　사용자DB 조회 및 입력
【대리인】　　　　　　　　　　　　　　　　　+ -
　【성명】　　　;
　【주소】　　　(
　【대리인번호】　9 - ; ; - (　' - 0

【납부대상수수료】 [?]
※ 특별재난지역(2020년 3월 15일 기준) 중소기업인 경우 국문조사료 감면을 신청하실 수 있습니다. (감면 후 112,500)
　【국제출원료】　　　　　　　　　　　　　1,030 스위스프랑(CHF)

【합계】　 [?]　　　　　　　　　　　　　1,030 스위스프랑(CHF)

【첨부서류】　 [?]
※ 중소기업임을 증명하는 서류 :
1. 중소기업확인서(중소기업현황정보시스템에서 발급) 또는
2. 사업자등록증(사본) & 직전 3개 사업연도의 자산총액 또는 매출액 확인서류(재무제표 등).
　　단, 직전 3개 사업연도가 없는 경우 중소기업기본법 시행령 제7조에 따른 평균매출액 확인서류

▲ '국제출원수수료(국제출원료)' 화면

수수료납부서

【】: 필수기재항목, ▽ : 복수개 입력 가능 항목, □ : 체크시 선택입력항목

【구분항목】 국제출원수수료(국제출원료 이외의 수수료) ▾

【국제출원번호】⑦ PCT/ KR ▾ 2022 / (

【납부구분】 ⑦ 국제출원수수료(국제출원료 이외의 수수료)

▽출원인 ⑦   ┌─────────────────┐
                                                  │ 사용자DB 조회 및 입력 │
                                                  └─────────────────┘
【출원인】
  【성명】   (
  【주소】   (
  【특허고객번호】 4 - 2016 - (- 5

☑ 대리인   ⑦   ┌─────────────────┐
                                                  │ 사용자DB 조회 및 입력 │
                                                  └─────────────────┘
【대리인】   ⊞ ⊟
  【성명】
  【주소】   (
  【대리인번호】 9 -   - (....' - 0

【납부대상수수료】 ⑦ □ 2013년 이전 출원건
 ☀ 특별재난지역(2020년 3월 15일 기준) 중소기업인 경우 국문조사료 감면을 신청하실 수 있습니다. (감면 후 112,500)
  【송달료】   45,000 원
  【조사료】   450,000 원

【합계】   ⑦   495,000 원

☑ 수수료 자동납부번호 ⑦
【수수료 자동납부 번호】 633~   ┌─────────────────┐
                                                  │ 자동납부번호 찾기 │
                                                  └─────────────────┘

▲ '국제출원수수료(국제출원료 이외의 수수료)' 화면

　국제출원료 수수료인 스위스프랑(CHF)은 제출 후 특허로 홈페이지에서 제출결과조회에서 납부 수수료에 고지서를 보고 해당 관납료를 납부하면 된다.

참고로 아래와 같이 특허로에서 수수료 자동납부 신청을 하면 '국제출원료 이외의 수수료'의 경우, 관납료가 은행 통장(은행에 로그인)을 통해서 납부하지 않아도 자동으로 납부가 되기 때문에 편하다.

▲ 관납료 자동납부신청

https://www.patent.go.kr/smart/jsp/kiponet/fe/autopay/OpenAutoPayRqst.do

국내 우선권 주장시, 'KR 대한민국은 어떠한 종류의
국내적 권리 보호를 위해서도 지정되지 않습니다.'

해외 상표출원 (마드리드)

해외상표출원(마드리드)를 알아보려고 한다. ePCT와 다르게 해외 상표출원(마드리드)의 경우, 통합서식작성기에 신청 경로가 자세하게 나와있다.

통합서식작성기에서 MM2(국제출원서)를 클릭하면 아래와 같은 화면이 생긴다. 여기서 상단의 '작성 예시'를 클릭해준다. (미국 출원 시, MM18 (E) - DECLARATION OF INTENTION TO USE THE MARK - UNITED STATES OF AMERICA 필수 제출)

그래도 잘 모르겠다면? 대한민국 특허청 유튜브의 동영상을 참고하면 된다. 대한민국 특허청 "마드리드 국제상표출원의 첫걸음인 국제출원서 작성법!" 검색

▲ 특허청 '마드리드 국제상표출원' 유튜브 링크
https://www.youtube.com/watch?v=jmQlwxsVzwk

해외상표출원(마드리드)은 통합서식작성기에 답이 있다.

해외 디자인출원 (헤이그)

해외디자인출원(헤이그)의 경우도 해외상표출원(마드리드)와 마찬가지로 통합서식작성기에 신청 경로가 자세하게 나와있다.

통합서식작성기에서 DM1(국제출원서)를 클릭하면 아래와 같은 화면이 생긴다. 여기서 상단의 '작성 예시'를 클릭해준다.

그래도 잘 모르겠다면? 마찬가지로 대한민국 특허청 "헤이그 국제디자인출원의 첫걸음인 국제출원서 작성법!" 검색

▲ 특허청 '헤이그 국제디자인출원' 유튜브 링크
https://www.youtube.com/watch?v=e8rGhZdklpQ

해외디자인출원(헤이그)은 통합서식작성기에 답이 있다.

계속 해내는 힘은 어디서 오는가

업무 마무리

업무는 퇴근 30분 전부터 마무리한다. 이지팻(EASYPAT)으로 마감일을 한 번 더 체크하고, 책상 정리 및 쓰레기통을 비우는 것. 업무의 시작도 청소고, 업무의 끝도 청소이다.

특허사무소는 시간 관리만 잘 하면 개인적인 시간이 많이 주어진다. 해당 책도 출근 후 해야 할 업무를 마무리하고 남은 시간을 이용하여 회사에서 작성을 했다.

시간을 잘 활용하면 여유시간이 주어진다. 특허사무소는 업무는 대체적으로 반복적인 업무를 진행한다. 그래서 익숙해지면 시간이 많이 남는다.

시간을 어떻게 활용을 하느냐에 따라 업무태도가 달라진다고 생각을 한다.

방송인 유재석씨의 명언이 있다. 항상 잊지 않고 기억하려고 하는데 내용은 다음과 같다.

> "내가 생각하는 범위에서 최선을 다하면 안 된다.
> 그걸 벗어나서 최선을 다해야 한다.
> 그게 바로 혼신이다."

업무를 마무리하기 전 한 번쯤은 생각해 볼 가치가 있는 대목이라 말씀을 드린다.

시간을 잘 활용하면 분명히 여유시간이 주어진다.

퇴근

나는 퇴근시간을 칼같이 지키는 편이다. 6시에 퇴근한다면 5시 59분에 나가서 엘리베이터 버튼을 누르고 올라올 때까지 기다린 후 6시가 될 때 지문을 찍고 나간다.

퇴근 한 시간 전에 오늘의 나는 어떤 마음으로 어떻게 업무를 대했는가에 대해 진지하게 생각을 해보고 놓친 부분에 대해서 메모를 한다.

보통 출근하고 적으려고 노력하는데 퇴근 전 아침 일기 및 큐티책을 한 번 더 살펴본다.

아침일기는 나에게 큰 깨달음과 자극을 주었다. 가장 쉽게, 가장 효과적으로 나의 하루를 더 행복하고 풍요한 날로 만드는 방법을 알려주었다. '성공한 사람들이 아침에 일기를 쓰는 게 아니라 아침 일기를 쓰는 습관이 성공하는 사람을 만든다는 사실을.'

▲ '하루 5분 아침 일기(The FIVE-MINUTE JOURNAL)' 도서

작성 방법은 다음과 같다. 예시를 살펴보고 본인에게 좋은 습관이 될 것 같다면 구매하는 것을 추천한다.

하루 5분 아침 일기

오늘 날짜를 적고 질문에 답합니다.

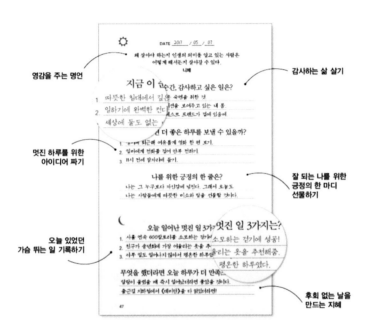

▲ '하루 5분 아침 일기(The FIVE-MINUTE JOURNAL)' 예시

▲ '청소년 매일성경' 도서

그리고 퇴근 전에 큐티책을 한번 더 살펴본다. '큐티'라는 뜻은 기도와 묵상, 성경 읽기를 하면서 하나님을 만나는 조용한 시간을 이르는 말인데, 종교가 없는 경우에는 다소 거부감이 들 수 있기 때문에 '이런 책도 있구나.' 정도만 참고만 하면 될 것 같다.

사용 예

▲ '3P자기경영연구소' 화면
https://www.3pbinder.com

추가적으로 시간 관리할 때 도움이 많이 되었던 플래너를 소개한다. 많은 플래너를 사용해 봤지만 '3P자기경영연구소'의 플래너는 한주의 시간 사용을 관리하는 것에 탁월했다.

어떤 마음으로 어떻게 업무를 대했는가에 대해
진지하게 생각을 해보자

에필로그

Daum 홈페이지에는 '특허사무소 이야기*^^*'라는 카페가 있다. 해당 카페는 익명으로 질문과 댓글을 남길 수 있다.

'특허사무소에 이력서를 넣으면 며칠 만에 연락이 오나요?' 혹은 '관리직에 대한 회의감이 들어요.' 등 정말 궁금했던 이야기들을 공유하고 진심 어린 댓글들을 볼 수 있다.

다양한 글 중에 연봉에 대한 글이 많다. 나도 그게 제일 궁금했다. 대체적으로 신입으로 입사를 한 사무소에서는 연봉협상이 대체적으로 어렵다. 연봉통보라고 해야 할까.

안타깝게도 입사할 때부터 낮은 연봉으로 시작하는 경우가 많아서 추후 특허 업무를 수월하게 처리를 하더라도 원하는 연봉을 제안하기가 어렵다. 그래서 특허 업계에서는 2-3년 차에 이직을 많이 하는 것 같다.

어렵게 결심한 이직을 보다 현명하게 잘하기 위해서는 입사하고 1~2년 동안 다양한 업무와 깊은 공부를 해봐야 한다고 생각한다.

나의 경우 연봉협상을 할 때 워드에 한 해 동안 업무를 한 것에 대한 성과 등을 기재해서 서류를 드린다. 주어진 업무 이외로 성과를 냈다면 당당하게 제안을 할 수 있다.

한 해 동안 업무 시간에 5가지 업무 외에 수임 등과 같이 회사에 성과를 낼 수 있는 업무에 집중을 한다. 아직도 배워나가야 할 업무들이 많지만 신입으로 근무를 했을 때 누군가가 알려주었다면 어땠을까 하는 내용을 담았다.

해당 책을 끝까지 읽어 주셔서 무한한 감사를 드린다.

▲ '특허사무소 이야기*^^*' 홈페이지
: https://cafe.daum.net/patentoffice

감사인사

시간을 내어 이 책을 읽어 준 당신에게 감사하다는 말을 먼저 전한다. 당신과 함께 특허사무소 업무에 대한 이야기를 나눌 수 있어서 무척이나 기쁘다.

종이책을 내기까지 분에 넘치는 사랑과 지원을 보내준 많은 사람들이 있었다.

사랑하는 가족과 남편, 특허 업무를 할 수 있게 기회를 주신 '특허법인오킴스'의 박시형 대표 변리사님, 이의철 변리사님.

책을 쓰는 것에 대해 응원을 해주시고 항상 긍정적인 힘을 주시는 '㈜티비즈|티비즈특허법률사무소'의 김정목 대표님.

응원과 격려를 해주신 모든 분들께 감사의 말씀을 드린다.

끝으로 무엇보다도 2019년부터 현재까지 유선상으로 만난 특허청의 모든 상담원님들께 감사를 전하고 싶다. 그들의 친절한 도움에 이 책을 바치는 바이다.

이 책 내용의 전부 또는 일부를 재사용하려면
반드시 저작권자의 서면 동의를 받아야 합니다.